Dominiq

L'huile à patates frites

Illustrations

Guadalupe Trejo

Collection Œil-de-chat

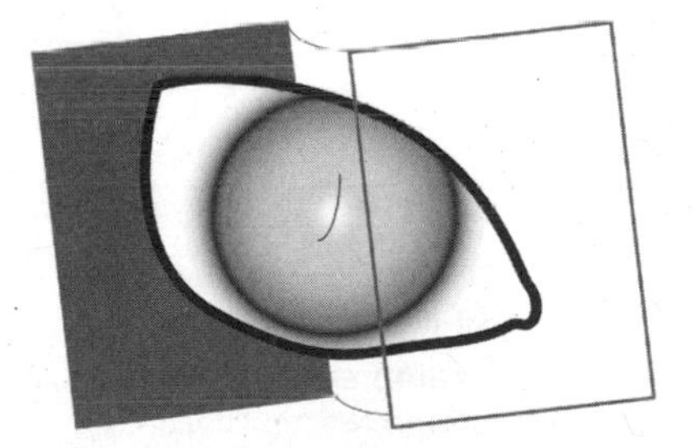

Éditions du Phœnix

Dépôt légal, 2009
Imprimé au Canada

Illustrations : Guadalupe Trejo
Graphisme de la couverture : Guadalupe Trejo
Graphisme de l'intérieur : Hélène Meunier
Révision linguistique : Hélène Bard

Éditions du Phœnix

206, rue Laurier
L'île Bizard (Montréal)
(Québec) Canada H9C 2W9
Tél.: (514) 696-7381 Téléc.: (514) 696-7685
www.editionsduphoenix.com

Catalogage avant publication de Bibliothèque et Archives nationales du Québec et Bibliothèque et Archives Canada

Tremblay, Dominique, 1961-

L'huile à patates frites
(Collection œil-de-chat ; 15)
Pour les jeunes de 9 ans et plus.
ISBN 978-2-923425-87-0

I. Trejo, Guadalupe. II. Titre. III. Collection: Collection œil-de-chat ; 15.

PS8639.R45H84 2009 jC843'.6 C2009-941105-9

PS9639.R45H84 2009

Conseil des Arts du Canada Canada Council for the Arts

Nous remercions le Conseil des Arts du Canada de l'aide accordée à notre programme de publication.

Éditions du Phœnix remercient la SODEC pour l'aide accordée à leur programme de publication. Nous reconnaissons l'aide financière du gouvernement du Canada par l'entremise du Programme d'aide au développement de l'industrie de l'édition (PADIÉ) pour nos activités d'édition.

Dominique Tremblay

L'huile à patates frites

Éditions du Phœnix

De la même auteure :

À la folie !
coll. Papillon, Éditions Pierre Tisseyre, 2004.

À ma mère et mon père

À mon fils David, mon mari
et mon grand frère

CHAPITRE UN

Cas de conscience

Je savoure mon lait au chocolat en essayant de ne pas céder à l'agitation un peu folle qui règne dans la maisonnée. Mon grand frère Gaël descend l'escalier qui mène à l'atelier du sous-sol, remonte aussitôt avec un outil, sort de la maison pour rejoindre notre père dans le garage et revient pour disparaître de nouveau dans l'atelier. Il réapparaît, triomphant, et court vers le garage, lieu sacré qui abrite désormais sa voiture de course.

Demain, dimanche, se déroule une grande compétition qui oppose les concurrents de notre ville, Montréal, à ceux de la ville voisine. C'est la plus importante course sur piste de la catégorie amateur, avec une bourse de mille dollars et la possibilité pour le gagnant de représenter sa ville à la finale provinciale.

Entraîné par l'emballement de ma famille, je vide ma tasse d'un trait, tout en jetant un coup d'œil dans le garde-manger. J'aperçois d'énormes muffins à l'avoine, du pain de blé entier, des sachets de gruau instantané, quelques barres de céréales, mais pas la moindre trace de biscuit pour mon ventre affamé. Ma mère, diététiste, prépare des muffins aux canneberges en croyant qu'elle nous gâte trop.

Gaël et mon père, sales et heureux, pénètrent en trombe dans la cuisine pour m'annoncer que les ajustements sur la voiture sont presque terminés.

— Hé ! Sam, tu devrais voir ma bagnole !

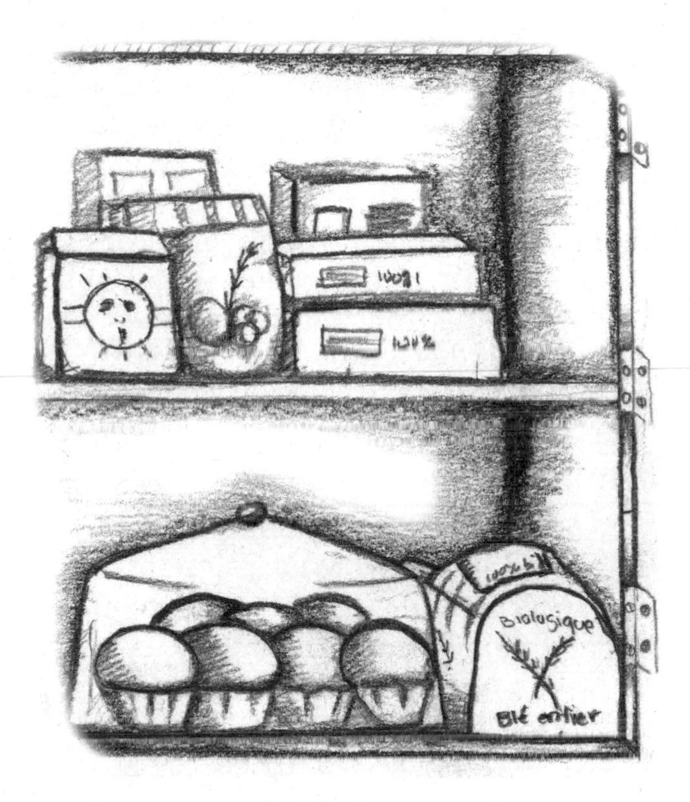

Et ce grand échalas me donne une claque derrière la tête avant de s’enfuir. Lui et mon père se précipitent vers la salle de bain en se taquinant, comme de jeunes enfants. Je suis un peu jaloux de leur complicité, ainsi que des nombreux succès de mon frère. Vous devriez voir ses bulletins scolaires, toutes les cases affichent des notes super ! Mes résultats sont beaucoup moins spectaculaires. De plus, en tant que sauveteur, Gaël exhibe tout l'été ses muscles à la piscine publique de notre quartier. Ce candidat au cancer de la peau archi-populaire a un nombre incroyable d'amis et de copines avec qui il fait des tas de sorties *cool*. Et parce que « monsieur » a dix-huit ans, tout lui est permis ! Des mèches blondes teintent ses cheveux châtains, des verres de contact verts enluminent ses grands yeux et un tatouage de Superman colore son épaule gauche.

Au moins, mes yeux noisette n'ont pas besoin de lunettes. Mais j'aimerais bien moi aussi avoir des mèches, d'un bleu à la limite du mauve, dans mes cheveux noirs.

Ma mère, trop protectrice, s'y oppose, malgré mes douze ans ! Par contre, les signes distinctifs tatoués sur la peau, comme le superhéros de mon frère, ne m'attirent pas. Et pour ce qui est des

piscines publiques, je les évite pour des raisons, disons... techniques. Comme l'explique si bien Obélix, je suis un peu enveloppé. Pas autant que ce surhomme de bande dessinée, quand même ! Si je me compare à lui, j'ai l'impression d'être un dieu grec, genre Apollon[1]. Et l'année

---

[1] *Apollon : Dans la mythologie grecque, dieu de la Lumière solaire, de la Divination, de la Musique et de la Poésie.*

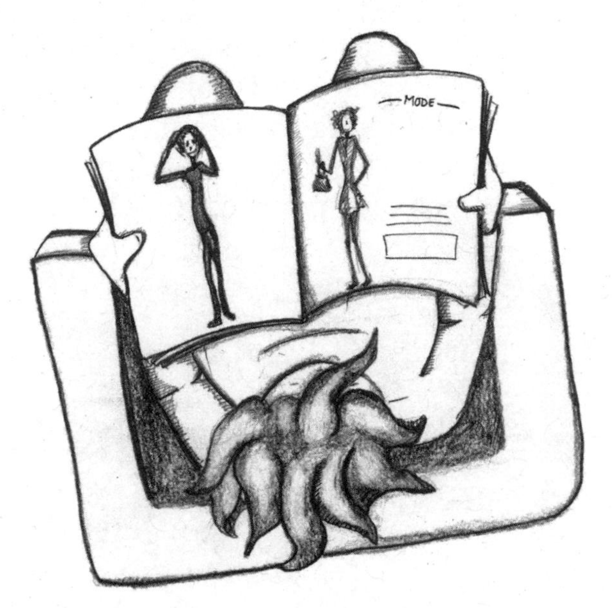

dernière, sur une plage aux États-Unis, j'étais à deux doigts de me trouver séduisant parmi la foule de baigneurs, bien en chair. Mais c'est tout le contraire lorsque je feuillette des magazines chez le coiffeur ou dans la salle d'attente du dentiste. Toutes ces vedettes aux corps incroyables, alors même qu'elles sont parfois refaites ou que les photos sont retouchées, me sapent le moral pour la journée, en plus de me mettre sous le nez une triste réalité : il faudrait que je maigrisse.

Alors, je l'affronte, cette triste réalité. La porte de la salle de bain verrouillée, j'arrête un instant de respirer avant de monter, nu, sur le pèse-personne. Il est sans pitié : j'ai sept kilos de trop. J'oscille entre désespoir et détermination. Je pense à ma mère qui m'assure que j'ai seulement de la graisse de bébé et qu'avec de la volonté, elle finira par fondre. Facile à dire, car souvent, la nuit, mes rêves m'entraînent en enfer ! J'imagine une orgie de croustilles, des cornets de crème glacée molle, des bonbons surs en forme de vers qui se tortillent, des boissons gazeuses au subtil goût de cerise et des boîtes débordantes de chocolats ! Mais dans mes pensées, il n'y a pas que de la bouffe. Il y a aussi des filles, dont une certaine Marie-Jade. Cauchemars cruels et impitoyables qui me coupent l'appétit ! Momentanément...

CHAPITRE DEUX

Le 22 septembre

Je sens un regard scrutateur derrière mes omoplates.

— Samuel, arrête de fouiller dans le frigo !

— Papa, je meurs de faim.

— Ta mère a cuisiné d'excellents muffins.

— Ouais ! aux canneberges... Est-ce que maman travaille toute la fin de semaine ?

— Oui. Et moi, je dois me rendre à une réunion aujourd'hui.

— Encore !

— Impossible de refuser. Nous planifions une des journées les plus importantes de l'année.

— Noël ?

— Voyons, mon grand ! Le 22 septembre, ça ne te dit rien ?

Après de longues secondes d'attente, l'air un peu déçu, mon père empoigne le téléphone et compose un numéro afin de connaître l'horaire des prochains passages de l'autobus qui se dirige vers la station de métro Honoré-Beaugrand.

— Il faut que je file. Oh, j'oubliais ! Dis à Gaël de ne pas rentrer trop tard après son travail. Une grosse journée nous attend demain. Bye !

La porte se referme sur mon père et sa fichue question. Mon frère, lui, aurait su quoi répondre, bien entendu. J'ai beau me creuser les méninges en montant vers le bureau, la date du 22 septembre ne me dit rien. Dans mon esprit, ce mois maudit ne sert qu'à nous mettre sous le nez la fin de l'été. En fouillant dans Internet, je trouverai sans doute la réponse pour que, ce soir, mon père soit fier de moi. Du moins un peu.

Avant d'aborder les sujets sérieux, faisons un arrêt pour clavarder avec un internaute.

Peut-être y aura-t-il quelqu'un d'intéressant pour passer le temps ?

Zlik... Klok... Klak...

Klook... Klak... Keklik...

Yann, mon meilleur ami, se prélasse depuis trois semaines au chalet de sa tante Nathalie dans Charlevoix. Le chanceux ! Je me demande s'il a pu savourer du pâté croche à l'île aux Coudres, observer des baleines à Tadoussac et surtout revoir sa belle cousine Mathilde à Saint-Placide. En attendant le récit de ses péripéties, les journées sont longues sans lui. À part Yann, il n'y a ni garçon ni fille de mon âge dans le coin, sauf Hugo. L'été, il vient parfois se baigner dans notre piscine creusée, mais on ne se voit pas plus. Les jumelles qui viennent d'emménager dans la maison d'à côté sont beaucoup trop jeunes ; elles ont tout juste sept ans. Les autres élèves de mon école sont éparpillés aux extrémités de notre quartier, assez loin de chez nous. Il faut dire que les arbres qui bordent nos rues sont presque centenaires, comme les habitants. J'exagère un peu, mais la majorité de nos voisins sont âgés. Ils veillent sur leur balcon ou surveillent les passants de la fenêtre de leur salon. Ce sont des personnes vraiment gentilles qui me demandent à l'occasion de tondre leur gazon. Un couple dans la vingtaine fait exception et occupe la maison couverte de vignes en face de celle des jumelles. Ils sont arrivés au début de l'année avec leur bébé. Si nous habitions dans une jeune banlieue pleine d'enfants, le choix de camarades serait bien plus grand !

Pour l'instant, allons-y pour Hugo, il vient d'apparaître en ligne. Quand on se sent seul, même un faux ami peut faire l'affaire. Ma mère le surnomme « l'ami de piscine » parce qu'il s'intéresse à moi uniquement l'été, attiré par notre piscine, alors qu'à l'école, c'est à peine s'il m'adresse la parole. Ça ne me dérange pas, aujourd'hui, j'ai besoin d'un ami.

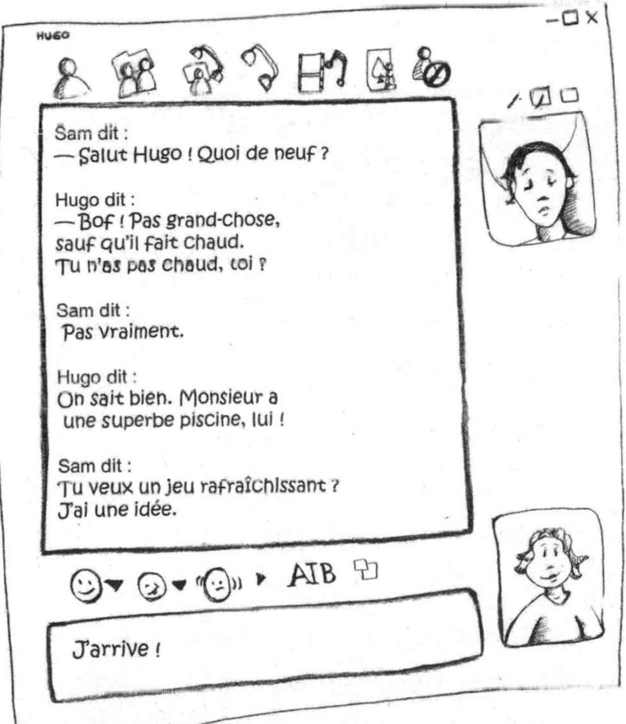

HUGO

Sam dit :
— Salut Hugo ! Quoi de neuf ?

Hugo dit :
— Bof ! Pas grand-chose,
sauf qu'il fait chaud.
Tu n'as pas chaud, toi ?

Sam dit :
Pas vraiment.

Hugo dit :
On sait bien. Monsieur a
une superbe piscine, lui !

Sam dit :
Tu veux un jeu rafraîchissant ?
J'ai une idée.

AIB

J'arrive !

Clic ! Hugo n'est déjà plus en ligne. Trop tard pour lui dire d'oublier ma piscine : pas d'adultes pour surveiller, pas de baignade. Par jeu rafraîchissant, je pensais à un jeu de société dans notre sous-sol, au frais.

Hugo arrive à la maison le visage en sueur, avec sous le bras son maillot de bain orange fluo et sa serviette de plage. Dans ses yeux bleu clair, je vois les reflets de l'eau de ma piscine. Son large sourire se ferme comme une huître lorsque je lui annonce la nouvelle. J'ai sous-estimé sa déception.

— Quoi ! On ne peut pas se baigner ?

Il n'est pas très subtil.

— Une partie de Monopoly, au frais dans notre sous-sol, ça te dirait ? Tu veux des muffins ?

— Je déteste les muffins.

J'ai un petit pincement au cœur en pensant aux muffins de ma mère. Je m'en veux tout à coup de les dénigrer, elle qui prend plaisir à cuisiner de bons plats pour la famille !

— Hé ! Les jeunes ! Qu'est-ce que vous faites dans l'entrée, à flâner ? Je veux passer, moi.

Incapable de s'en empêcher, Gaël me donne un solide coup d'épaule et me lance d'un ton sans équivoque : « Samuel, tu ne vas pas fouiner dans le garage, hein ! » Sans me soucier de son avertissement, j'entraîne mon ami vers l'escalier du sous-sol. Je pose sur la table un plateau d'échecs, le jeu de Monopoly et la dernière version de Risk. Mes parents adorent ce jeu. Mais Hugo lorgne plutôt du côté de la télévision et de la console de jeux vidéo.

— Ma manette ne fonctionne plus.

— Quoi ! Pas de piscine, pas de Playstation ! Qu'est-ce que tu veux qu'on fasse ?

— Il fait beau, on pourrait faire du vélo et se rendre jusqu'au bout de l'île, au parc régional de la Pointe-aux-Prairies. On peut y observer des renards, des grenouilles, des couleuvres et des milliers d'oiseaux. C'est vraiment intéressant, tu sais !

Hugo a une mine d'enterrement. Ses yeux bleus sont devenus gris. Je regrette quasiment qu'il soit là, surtout que je dois aller à l'encontre de l'interdiction de mon frère, c'est-à-dire aller dans le garage ! Après une grande respiration et une multitude d'arguments, je finis par le convaincre de me suivre jusqu'au bout de l'île. En pensant au petit arrêt que nous pourrions faire à l'épicerie, j'ai un regain d'énergie. Une expédition à vélo, ça se planifie ! Hugo pourra mâchonner une longue réglisse noire en ruminant ses idées. Moi, je préfère les gros bonbons rouges.

CHAPITRE TROIS

Zone interdite

J'insère la clé dans la serrure en pensant à Gaël, tandis que la porte du garage s'ouvre. Hugo m'attend, les bras croisés, l'air blasé, son vélo couché à ses pieds. Le mien se trouve accroché au plafond, au fond de la pièce. Les étagères de chaque côté débordent de boîtes de vis, d'écrous, de fils électriques, de pots de vernis et d'outils. Un meuble bancal croule sous les trouvailles de mon père et de Gaël. Ce fouillis est leur royaume. Je passe à côté de la voiture de mon frère, recouverte d'une bâche. Je m'étire pour décrocher ma bicyclette.

— Wow ! Une Mustang ! lance Hugo.

Je sursaute. J'en échappe presque mon vélo. Agacé, je réplique :

— Je t'ai dit d'attendre dehors.

— Je désirais juste voir ce qu'il y avait en dessous.

— Elle appartient à Gaël. Arrête ! Ne mets pas tes doigts sales dessus !

— Une super belle Mustang 1967 verte !

— Tu t'y connais en voiture ? dis-je, étonné.

— Pas toi ?

— Bien sûr que si. Mon frère participe à une course demain.

— Où ?

— À Repentigny. Si tu veux venir avec nous, je peux demander à mon père. On y va avec mon oncle Daniel.

— Ce serait génial !

Impossible de reculer, l'invitation est lancée. Mes parents affirment que j'ai un cœur immense qui s'éparpille un peu trop. C'est vrai que j'ai de la difficulté à être méchant, sauf dans mes rêves. Il m'arrive souvent d'imaginer Lucas, l'armoire à glace de service à l'école, étendu de tout son long sur l'asphalte. Et moi, je suis debout à ses côtés, le poing meurtri, acclamé par les dizaines d'élèves qu'il a maltraités ! D'un autre côté, lorsque je pense à ce monstre qui cherche sans arrêt les problèmes, je trouve que, dans le fond, il fait pitié. Pas facile d'être sans-cœur. Mon cher frère, lui, me traite de futur moine. Je déteste quand il me dit ça.

Hugo patiente à présent à l'extérieur du garage, de nouveau les bras croisés. J'appuie sur l'interrupteur électrique pour fermer la porte, puis je traverse le seuil avec ma bicyclette. Mission accomplie !

— Ma casquette !

Le cri d'Hugo m'arrête net. Cet idiot s'élance sous la porte, qui a déjà parcouru la moitié du chemin, et atterrit dans le garage avec la délicatesse d'un hippopotame. La porte se referme sur lui en laissant échapper un bruit d'éclats de verre qui s'écrasent sur le béton ! Je suis pétrifié ; mes deux pieds sont cimentés, mes lèvres aussi.

— Samuel ! Je suis désolé. Ouvre la porte, il fait noir. Je ne trouve pas ma casquette.

Je ne sais pas ce qu'il a brisé, cet imbécile, mais j'imagine d'avance le visage furieux de mon père et les longs soupirs de ma mère. Quant à mon frère, j'aime mieux ne pas y penser. De toute façon, je suis mort.

— Sam ! Qu'est-ce que tu fais ?

J'ouvre la porte du garage.

— Je pense que j'ai fait une gaffe, bafouille Hugo, le visage blanc.

La bâche destinée à protéger la voiture de mon frère s'est déplacée, dévoilant l'ampleur de la catastrophe : un phare brisé et des morceaux de verre éparpillés sur le plancher.

— Samuel ! Laisse-moi t'expliquer !

—...

— Je croyais être plus rapide que la porte. J'ai trébuché, je me suis rattrapé, j'ai posé la main sur un meuble qui, qui... a chancelé... et c'est là que le marteau...

— Ferme-la !

Des mots secs pour lui clouer le bec et pour me donner de l'assurance aussi, car je lui ai menti. J'ignore tout des voitures. Dans un garage, je me sens de trop. Peut-être parce qu'à part la voiture un peu spéciale de mon frère et celle de mon oncle Daniel qui l'est encore plus, il y a peu d'automobiles autour de moi. Mes parents ont vendu notre jeep il y a des années en évoquant leur désir de préserver l'environnement et de maintenir la forme physique de toute la famille. Quand cette folie s'est emparée d'eux, j'avais six ans, et mon frère, douze. Je me suis vite habitué à vivre sans voiture, mais pas Gaël. Il a hurlé, crié à l'injustice, boudé quelque temps puis s'est finalement résigné… jusqu'à ses dix-huit ans. Dans Internet, mon frère a déniché une vieille Mustang en pièces détachées. En quelques mois, il a restauré sa voiture, avec l'aide de mon père ingénieur, tout heureux de se rendre utile. Un projet qui a réuni les deux Einstein[2] de la famille dans une même passion. Ces deux habiles bricoleurs, très bons nageurs, trilingues et champions d'échecs excellent dans tout. C'est loin d'être mon cas, je ne

[2] *Albert Einstein : Physicien allemand, naturalisé suisse, puis américain (1879-1955). Il fit de nombreuses contributions fondamentales dans différents domaines de la physique, mais son nom reste surtout attaché à la théorie de la relativité. Prix Nobel de physique, 1921.*

sais vraiment pas comment c'est possible d'être si différent...

— Hum ! À ta place, Sam, je prendrais des pinces pour retirer le phare... enfin, ce qu'il en reste.

Le regard sombre, je me retourne vers cet éternel gaffeur.

— Va m'attendre dans la cour.

— Samuel, je dois rentrer. Ma mère...

— Je t'ai dit de m'attendre !

— Pourquoi ?

— Pour réparer ta connerie.

— Comment ?

— En essayant de trouver un endroit qui vend des pièces de rechange.

— Bonne chance ! Mais tu sais, je n'ai pas fait exprès, c'est à cause de ma casquette...

Mon regard meurtrier lui indique l'entrée de la cour.

— Et si tu me parles encore de ta casquette, Hugo, je t'étrangle !

CHAPITRE QUATRE

Changement de cap

Mes doigts se promènent dans les pages jaunes de l'annuaire téléphonique, à la recherche d'un commerce pas trop loin. Hugo se dandine derrière mon dos. Sa respiration m'agace à tel point que le désir de lui tordre le cou nuit à ma concentration. Après ce qui me paraît une éternité, je crois avoir trouvé. Je regarde du coin de l'œil le combiné, soudainement intimidé de téléphoner à un étranger. Si je demandais à...

— Hugo ! Appelle donc à ce numéro, chez Albert Lambert Automobiles !

— Pas tout de suite. Il faut que j'aille aux toilettes.

Le lâche se défile. L'image de mon frère en colère me vient à l'esprit. Vite ! En un temps record, je compose les dix chiffres. Ma gêne s'est dissipée, mais pas le spectre de Gaël. Après de longues secondes de discussion, victoire ! Un employé m'assure qu'il a bel et bien la pièce de rechange qu'il me faut.

— Par contre, mon garçon, l'ordinateur indique que nous sommes en rupture de stock ici. À notre succursale de Longueuil, il y en deux.

— Où ?

— Longueuil. À partir de Montréal, traverse le tunnel Louis-Hippolyte-Lafontaine, puis prends la deuxième sortie vers les États-Unis. Ensuite, longe le fleuve jusqu'à la bretelle de sortie vers le boulevard Taschereau. Nous sommes situés à...

Je n'ai pas bien compris ses explications. De toute manière, il est impossible de circuler à pied dans le tunnel ! Bon, je devrais être capable de me débrouiller avec le transport en commun, même si les fins de semaine, le service est au ralenti. Je vais me rendre au métro en vélo avec Hugo. Ce sera plus rapide que d'attendre l'autobus. Joyeuse expédition à l'horizon !

***

Avant de partir, je tâte la poche de mon short une fois, deux fois. Mon portefeuille y est avec un billet tout neuf de cent dollars

— un cadeau de ma grand-mère —, des tickets de métro et l'adresse griffonnée sur un bout de papier. Mes clés sont au fond. Rassuré, je commence à pédaler, suivi d'Hugo, quand une grave question me taraude l'esprit. Est-ce que j'enlève mon casque de vélo ou pas ? À deux coins de rue de chez moi, j'hésite encore. Je regarde un peu partout, inquiet. Mais pour plaire aux filles, plus particulièrement à Marie-Jade, je n'ai pas le choix d'aller à l'encontre de la consigne de sécurité, maintes fois répétée par mes parents. Si je traverse le parc, un précieux raccourci vers la rue Sherbrooke et le métro, j'ai de fortes chances de la rencontrer. D'un geste nerveux, je défais l'attache à la base de mon cou. Clic ! Surtout, ne pas penser à mes parents. Puis, de mes deux mains, je l'enlève ! Après quelques coups de pédale incertains, à quelques mètres du parc, je regarde mon casque, trimballé pour la première fois, accroché au guidon de ma bicyclette. Le vent ébouriffe mes cheveux. À douze ans, je me sens enfin libre ! Pas pour longtemps, car la pensée de mes parents et de leur fichu règlement gâche mon plaisir. Et la perspective de rencontrer la fille de mes rêves me fait dresser les cheveux sur la tête !

CHAPITRE CINQ

Le parc des rencontres

Elle s'appelle Marie-Jade Brunel. Je suis amoureux d'elle depuis la maternelle. Nous avons fait notre primaire ensemble, à écouter les mêmes professeurs et à regarder le même ciel à travers les grandes vitres. Pourtant, tout au long de ces sept années à l'école Saint-Marcel, je n'ai jamais osé lui parler. Elle est tellement belle ! Trop pour moi, je crois. J'attends qu'un événement providentiel me rapproche d'elle ou qu'un élément déclencheur chasse ma peur. Je ne suis pas le genre de garçon qui fait le fanfaron pour attirer l'attention. Ni celui qui lance des regards langoureux, presque douloureux. J'essaie d'être indépendant et... patient ! Mais j'avoue que le temps presse. Dans quelques jours à peine, nous commencerons notre première année au secondaire, chacun de notre côté : elle, dans une école réservée aux filles, et moi, à la polyvalente.

Le parc, déjà. Aujourd'hui, il me paraît inquiétant. La piste cyclable, en zigzag, sillonne un espace vert parsemé d'îlots d'arbres, de bancs et de tables à pique-nique. À chaque tournant, mes yeux se promènent à la recherche de Marie-Jade. Elle peut être n'importe où. L'aire de jeux au milieu grouille de jeunes enfants et de parents. Je roule au ralenti. Hugo me dépasse en me traitant d'escargot. J'aimerais tant rencontrer Marie-Jade !

— Hé ! Regardez le gros !

Les ricanements malveillants m'atteignent droit au cœur. Il y a un trou dans ma carapace ! Inquiet, mais aussi furieux, j'arrête mon vélo. On dirait des hyènes affamées qui rigolent entre elles avant d'attaquer ! Je me retourne. Devant moi, une grande échalote aux yeux globuleux d'un vert douteux me dévisage d'un air hautain. Ses longs cheveux noirs effilés et colorés sont enlaidis par une large repousse de cheveux blonds. Elle serait parfaite dans le rôle d'une morte-vivante en manque de viande. Frissons garantis ! Près d'elle, trois filles tout aussi maigrichonnes frisent l'anorexie. Elles se tortillent comme des anguilles en équilibre dans leurs souliers à talons aiguilles. Elles sont outrageusement maquillées, vêtues de chandails ultra-courts et de jeans archi-serrés ; j'ai l'impression d'être devant des poupées Barbie. Visiblement, je ne suis pas leur genre. C'est réciproque. Les filles passent près de moi en me regardant avec dédain, sauf la grande moufette qui éclate d'un rire diabolique après un bref coup d'œil au loin.

— Kami ! Kami ! Viens ici tout de suite ! Nooon !

J'entends un cri saisissant, puis paf, je me retrouve sur les fesses, à côté de mon vélo et... nez à nez avec un énorme chien. La bête, d'au moins cinquante kilos, a l'air aussi surpris que moi. Une longue corde attachée à son collier est entortillée dans les rayons de ma roue. J'essaie de me mettre debout avec dignité, tout en gardant un œil sur le gros chien blond. Ses jappements, jumelés aux hurlements hystériques de son maître, attirent les badauds. Quelle pagaille ! J'attrape la corde de toutes mes forces, en tentant de me relever, car j'appréhende les réactions

de l'animal. Plus l'homme se rapproche, plus le chien sautille, et plus mes mains tremblent. Le molosse va nous entraîner, mon vélo et moi, en enfer ! Crac ! Trop tard ! La corde se bande, je tombe. Au secours ! Le labrador bondit, puis s'élance en sautant de joie devant son protecteur. Le chien m'écrase la main à chacun de ses sauts. J'ai mal aux doigts, à la main, au poignet, au bras, à l'épaule, au dos, aux fesses et à ma fierté.

— Désolé, mon grand. Tu n'as rien ?

— Ça va.

Ça ne va pas du tout ! Quelle honte ! L'homme calme son chien tout en lui passant une laisse autour du cou. Il libère ensuite la corde de ma roue. Le monsieur m'explique que son chien Kami n'en fait qu'à sa tête et rêve de rencontrer l'âme sœur. Il a rongé la nouvelle corde qui le retenait à sa niche pour vagabonder dans le parc. Le maître de Kami m'assure qu'il l'attachera, la prochaine fois, avec un câble en acier. Pauvre chien ! Je ne lui en veux pas ! Et je peux le comprendre, moi qui suis à la recherche de...

— Tu aurais dû garder ton casque sur la tête.

Marie-Jade ! Je la reconnais même si elle porte un... casque protecteur ! Avec grâce, l'amour de ma vie descend de son vélo, l'appuie contre un banc et enlève son magnifique casque bleu. Sur ses cheveux courts, qui vont dans tous les sens, brillent de minuscules barrettes vertes, violettes et roses. Sa jolie tête blonde ressemble à un délicieux bouquet de suçons multicolores.

A+M

— Tu as perdu ta langue, Samuel ?

— Tu… tu connais mon nom ?

Elle éclate de rire, un rire rassurant, tout en s'asseyant sur le banc. Un banc couvert de graffitis, un banc d'amoureux qui se bécotent, un banc qui m'attend. Je pose mon vélo contre le sien et m'assois moi aussi, une fesse dans le vide. J'ai le vertige d'être si près d'elle.

— J'ai entendu dire que ton frère participait à une course demain.

— Oui, c'est vrai. À Repentigny.

Une pointe de jalousie assombrit mon bonheur. Pourquoi s'intéresse-t-elle à ce charmeur ?

— Ma sœur Amélie m'a demandé de confirmer la nouvelle, si je te rencontrais. Ne dis rien à ton frère, mais je crois qu'elle est amoureuse de lui depuis… la maternelle !

— Ah bon !

— Imagine ! Durant toutes ces années, elle ne lui en a jamais parlé.

— Et toi, à sa place, qu'est-ce que tu aurais fait ?

— Moi, je crois que...

— Samuel ! Je t'attends à la sortie du parc depuis dix minutes. Tu arrives ou quoi ?

Hugo me dévisage, surpris de me voir à côté d'une fille. À cet instant précis, le mot haine me vient à l'esprit. Marie-Jade se lève, enfourche sa bicyclette et remet son casque. Puis, elle me regarde, sérieuse comme une maîtresse d'école qui retient un fou rire.

— N'oublie pas ton casque, Samuel ! Et à demain, peut-être...

Je n'oublierai plus jamais mon casque ni son sourire ni ces mots doux comme du miel.

— Reviens sur terre, Sam. Ton frère, tu l'as déjà oublié ?

— Hugo, tu gâches ma journée pour la deuxième fois.

— Jamais deux sans trois.

— J'espère pour ta santé qu'il n'y aura pas de troisième fois.

CHAPITRE SIX

La traversée

De gigantesques réservoirs de produits liquides, ronds comme des boîtes à biscuits un peu rouillées, se dressent de part et d'autre de la rue Sherbrooke Est. De hautes cheminées crachent vers le ciel des flammes, presque belles le soir. Bienvenue dans le royaume des raffineries ! Devant ces géants d'acier, je pédale le plus vite possible vers le métro Honoré-Beaugrand. J'ai une pensée pour les habitants des mégavilles chinoises qui se promènent avec un masque sur la bouche. Je pense aussi au slogan annoncé dans les journaux locaux ou distribué par courrier : « La sirène crie : tout le monde à l'abri », pour nous prévenir qu'il y aura un exercice d'urgence. Ces tests nous apprennent les bons réflexes à adopter en cas d'accidents majeurs, comme une fuite de gaz toxique. Prévoyants, nos voisins industriels, mais pas très rassurants.

— Tu viens, Hugo ?

Je tiens la porte d'entrée de la station grande ouverte avec, à mes côtés, ma bicyclette. Nous pouvons transporter notre vélo dans la première voiture de la rame du métro à certaines heures, selon les journées.

— Hé ! Attendez une minute, les jeunes. Vous avez quel âge ?

Nous nous figeons. Hugo lui répond sur un ton à la limite de la politesse.

— Douze ans. Pourquoi ?

— Parce qu'il faut au moins être âgé de quatorze ans ou sinon, être accompagné d'un adulte pour pouvoir transporter son vélo dans le métro. Désolé.

J'entraîne Hugo vers la sortie en espérant que l'employé du métro n'entendra pas ses injures.

— Tout ça pour rien !

— Hugo, je n'étais pas au courant de ce règlement. D'habitude, les expéditions, je les fais avec mes parents.

— Alors, c'est quoi, le plan B ?

— Le pont Jacques-Cartier.

— Ça ne va pas dans ta tête ? Laisse ton vélo ici.

— Sans cadenas ? Il n'en est pas question. Tu viens ?

Hugo marmonne une excuse idiote en enfourchant sa bicyclette. Je le regarde s'éloigner, déçu. Je réalise qu'avoir un faux ami, ça n'attire que des ennuis.

***

Après une dizaine de kilomètres à zigzaguer sur la rue Notre-Dame en évitant chauffards et nids-de-poule, je vois enfin le pont Jacques-Cartier. La vieille artère qui longe le fleuve a vraiment besoin de réparations ! Mon père dit qu'elle sera transformée en boulevard urbain, avec des voies réservées aux autobus et une piste cyclable. Pour l'instant, je suis content d'être vivant à mon arrivée

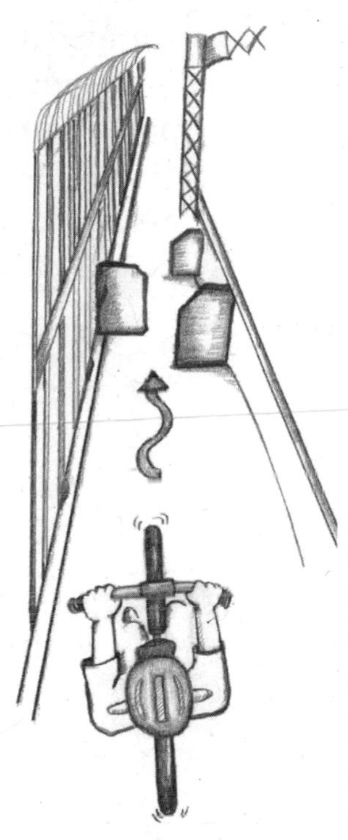

sur le tablier du pont. Mes cheveux, prisonniers sous mon casque, sont complètement trempés. Ma gorge picote, desséchée. Je roule mollo, intimidé d'être tout seul, si haut, malgré la barrière anti saut installée pour nous protéger d'un accident. Ou de soi, comme me l'a expliqué mon père en me parlant de ces gens malheureux qui se suicident. J'ose à peine regarder les manèges du parc d'attractions en contrebas. Je me dis qu'un vertige sournois pourrait me tirer par le bras et m'entraîner avec lui dans le vide. Scénario impossible, mais par précaution, je me force à penser à quelque chose de plus agréable : je suis en train de faire le bouche-à-bouche à Marie-Jade, que j'ai réussi à sauver des eaux froides d'une rivière en furie, quand j'aperçois un panneau annonçant le boulevard Taschereau. Remettant la suite de mon histoire à plus tard, gonflé par mon héroïsme, je pédale vers Albert Lambert Automobiles avec une énergie décuplée, presque herculéenne.

CHAPITRE SEPT

Sacrés règlements

Je n'ai plus une seule goutte d'énergie. En voyant les cinq marches à monter jusqu'à la porte d'entrée de chez Albert Lambert Automobiles, je me dis qu'au moins, ce ne sont pas les 283 marches de l'oratoire Saint-Joseph. En haut, je pousse la porte. Elle résiste. Je saisis la poignée, la secoue dans tous les sens en tentant d'apercevoir des mouvements à l'intérieur. Rien. Je recule de deux pas. Je remarque alors une minuscule feuille plaquée contre la vitre qui indique les heures d'ouverture du commerce. Il ferme à midi le samedi !

Je m'affale sur une marche. Quel nul, ce vendeur ! Il aurait pu me le dire ! Incrédule, je reste planté là un bon bout de temps à scruter l'horizon, puis je regarde mon vélo appuyé en bas de l'escalier. Il a l'air bizarre. Je descends. Misère ! Mon pneu arrière est à plat ! Par chance, il n'a pas l'air crevé comme moi. Je reprends la route à la recherche d'un garage en essayant de ne penser à rien.

***

Enfin ! Une station-service de l'autre côté du boulevard avec un compresseur d'air bien en vue. Adieu malchance ! J'insère le tuyau dans la valve de mon pneu, sans résultat. Pas de panique ! De toute évidence, un détail m'échappe.

— Hé ! Tu dois mettre vingt-cinq cents dans l'appareil !

L'employé en train de remplir le réservoir d'essence d'une camionnette me parle sur un ton bourru. Il pense peut-être que je suis un voleur d'air ! Je fouille toutes mes poches. Mon portefeuille ramolli par l'humidité est bien là, avec mon billet de cent dollars vieilli prématurément et mes tickets. Mon bout de papier avec l'adresse de chez Albert Lambert Automobiles a disparu, mais pas mes clés. Par contre, aucune trace de monnaie. Je me dirige vers l'employé aux cheveux gris, persuadé qu'il résoudra mon léger problème. Vingt-cinq cents, ce n'est quand même pas la fin du monde !

— Écoute, mon garçon ! Le propriétaire, c'est moi. J'ai déjà assez de difficulté avec mes employés qui s'absentent sans raison ou qui fouillent un peu trop dans le tiroir-caisse. Si en plus je fais la charité à tous mes clients, je vais faire faillite en moins de deux. Et je ne change pas les gros billets. Allez ! Oust ! J'ai du travail.

Je reprends ma bicyclette, vexé par cet avare de la pire espèce, ce vieux sans-cœur. Je pense à ma mère. Quand je quitte la maison, elle s'informe toujours si j'ai mes clés, assez de monnaie pour téléphoner et quelques mouchoirs. Elle me manque.

***

Mon moral n'a jamais été si bas et les ampoules qui me brûlent les pieds si énormes ! J'aperçois enfin un banc d'autobus, mais une forme humaine y est couchée, entortillée dans un grand poncho malgré les trente degrés. Bizarre. Je décide de continuer, lorsque j'aperçois trois garçons qui se dirigent vers le banc, en beuglant. Ils ont des foulards rouges sur la tête avec, par-dessus, des casquettes violettes portées à l'envers. Leurs chemises de couleurs criardes et leurs pantalons trop amples les font ressembler à des bouffons. De loin, j'entends ces clowns injurier la personne sur le banc. Je me sens mal à l'aise. Je ne suis pas le seul, car la silhouette emmitouflée se lève d'un bond et court vers moi en me priant de la protéger de ces diables. Les ados se lancent à sa poursuite. Je reste figé. L'homme, essoufflé, s'arrête à ma hauteur, me regarde une fraction de seconde, puis se cache derrière mon dos en récitant je ne sais quelle prière. Devant moi, les trois gars mâchonnent de la gomme et profèrent des injures. Leurs regards fuyants montrent à quel point ce sont des êtres faibles. Il faut pourtant se méfier de ces créatures instables.

— Hé, l'attardé ! Pourquoi tu te caches ? On veut juste rigoler un peu !

— Je vous salue Marie, pleine de grâce, le Seigneur...

— Toi, le gros ! Dégage !

Deux fois dans la même journée, c'en est trop ! Sans savoir comment ni pourquoi, je sens mon corps se transformer en Hulk. Mes épaules se redressent, mes muscles se gonflent, mon cerveau, lui, s'éteint et j'ose les affronter, moi, Samuel Gauthier.

— Laissez-le tranquille.

— Hé, l'obèse ! De quoi tu te mêles ?

— Steve, laisse-moi lui régler son problème.

— Pas tout de suite, Charlie. Regarde son super vélo. Va le chercher !

— ... et Jésus le fruit de vos entrailles est béni.

— Tu la fermes, débile !

— Steve, en plus de sa bécane, il doit avoir de l'argent sur lui.

Les yeux du Steve en question s'illuminent. Mes muscles, eux, se dégonflent. Je suis effrayé, à court d'idées. À l'école, on apprend le français, les mathématiques, les arts plastiques, la musique, mais il n'est jamais question de survie. Je parle de la survie en ville, pas de celle en forêt ! Comment traverser une intersection sans se faire renverser par une contrevenante qui conduit avec un cellulaire à l'oreille. Il y a aussi les enragés du volant, les ambulances qui luttent contre le temps et les chiens errants ! Quelle attitude adopter face à des délinquants violents pour éviter de se faire injurier ou poignarder ? Tous ces pièges sont cachés un peu partout autour de nous et je déteste m'en sentir prisonnier, impuissant.

Les prédateurs me dévisagent. Boum ! Un bruit sourd. Les trois gars s'enfuient. Ça y est, je suis mort. La vitesse de mes palpitations cardiaques m'indique que non. Je regarde derrière moi. L'homme au poncho gît sur l'asphalte, le corps secoué de spasmes. Je m'approche lentement, horrifié par ses yeux exorbités. De la bave coule de sa bouche. Je ne vois pas de sang. Il saisit ma main, murmurant avec peine ses prières. Je ne sais pas quoi faire.

— Tu as besoin d'aide, mon garçon ?

Une vieille femme à la peau plus noire que le soir, assise dans un fauteuil roulant électrique, se dirige vers nous. Son sourire bienveillant me calme un peu.

— Je ne sais pas ce qui s'est passé. Il est tombé et...

— Ça ressemble à une crise d'épilepsie. Redresse-lui la tête ! Il ne faut surtout pas que ce pauvre homme s'étouffe avec sa salive. Dans quelques instants, il devrait revenir à lui.

Inquiet, j'appuie la tête de l'homme contre moi. Son regard redevient peu à peu normal. Il dégage sa main de la mienne et s'essuie la bouche. Il m'observe, étonné. Je suis soulagé.

— Tu dois être le bon Dieu ?

— Moi ? Vous êtes drôle ! Appuyez-vous sur mon bras, je vais vous aider.

La gentille madame s'éloigne. J'ai l'impression que le bon Dieu, c'est elle. J'aide l'homme à marcher jusqu'au banc et je m'assois enfin, mon vélo près de moi. En silence, nous regardons passer le trafic. Puis, au bout d'un certain temps, ce long silence me gêne. Je m'ennuie presque de ses prières.

— Monsieur, vous attendez l'autobus ?

— Non. Je suis perdu.

— Perdu ? Vous habitez où ?

— Je ne me souviens plus. Avant, je restais à l'hôpital.

— Lequel ?

— Louis-H. Lafontaine.

— ...

— Les médecins ont dit que j'étais capable d'avoir un appartement.

— C'est bien mieux que d'habiter à l'hôpital.

— Des fois oui, des fois non. Parfois, il y a des diables et des sorcières qui me font du mal.

— Vous restez avec d'autres personnes ?

— Oui. Le responsable s'appelle Richard. J'avais oublié ! Il me donne toujours de la monnaie en partant et son numéro de téléphone.

— Vous voulez qu'on lui téléphone ? Vous avez des sous ?

— Oui. Richard va être content de moi. Il a dit qu'il fallait que je me débrouille, car bientôt je vais avoir un vrai travail.

Un peu honteux, je demande au monsieur s'il peut me donner quatre pièces de vingt-cinq sous. Il me les offre avec un sourire plus grand que la terre. Devant le téléphone de la cabine, aucun malaise ne m'arrête et j'explique la situation au responsable du logement. Celui-ci m'informe que l'appartement supervisé de monsieur Collins se trouve à deux rues à peine ; je raccroche. D'un air bienheureux, l'homme fredonne de nouveau ses louanges jusqu'à sa porte où, avec vigueur, il me serre la main. Richard aussi. C'est plaisant, d'aider les gens !

CHAPITRE HUIT

Retour bredouille

Au tournant de la rue m'apparaît un garage. Je m'y rends, toujours à la recherche d'un compresseur d'air. Je fais le tour de la bâtisse en scrutant chaque recoin. Rien. Une des deux portes de garage est ouverte, laissant entrevoir une ancienne Corvette. Je prends une grande respiration avant de franchir le seuil. À première vue, personne. Tout à coup, une silhouette féminine surgit d'en dessous de la voiture sur un lit de mécanicien.

— Est-ce que je peux t'aider ?

— Heu ! Vous n'auriez pas un compresseur d'air pour le pneu de ma bicyclette ? Je peux payer !

Avec un sourire engageant, la jeune mécanicienne me fait signe de lui apporter mon vélo. Après avoir gonflé mon pneu, elle refuse mon argent. D'une main noircie par la graisse, elle me salue et retourne

sous l'auto. Quelle fille super ! Réconcilié avec le genre humain, bien installé sur ma selle, je pense quand même à l'interminable route jusqu'à chez moi. Ce serait tellement plus rapide en métro ! Si je me risquais...

J'observe les gens qui entrent dans la station du métro Longueuil. Deux vieillards avec leur canne, plein d'ados avec leurs sacs à dos, une femme enceinte de plusieurs mois et... une famille à vélo ! C'est maintenant ou jamais. Tout le long du corridor, je les suis. Le préposé dans la guérite discute avec deux personnes âgées. Je souris aux cyclistes en traversant avec eux les tourniquets, comme si je faisais partie de leur famille. Et ça marche ! Trente minutes plus tard, je me retrouve au terminus Honoré-Beaugrand, reposé et prêt pour les derniers kilomètres.

***

Je décide de descendre la rue Honoré-Beaugrand jusqu'à son extrémité sud, où je retrouve la rue Notre-Dame. Un long mur de pierres laisse apercevoir d'imposants conteneurs multicolores qui proviennent de partout dans le monde. Difficile de croire que, derrière cette barrière, il y a le port de Montréal, l'un des principaux accès à l'Amérique du Nord. Cependant, notre professeur de géographie nous a aussi parlé d'une autre route maritime, le passage du Nord-Ouest. À cause du réchauffement dans l'Arctique, cette voie navigable pourrait un jour être sécuritaire et plus rapide pour les navires qui se rendent jusqu'en Asie. Des autochtones, des Inuits, des politiciens, des scientifiques de plusieurs pays se rencontrent, discutent et souvent se contredisent à propos de ce passage, pour savoir à qui il va profiter. J'espère qu'ils s'inquiètent autant pour les pauvres ours polaires.

Ici, à Montréal, le port se fait presque invisible de la rue. Par contre, on l'entend ! Dans une atmosphère bruyante de grues et de camions, de nombreux débardeurs travaillent sans relâche sur les quais, tandis que des marins en profitent pour se dégourdir un peu. Tout un contraste, une dizaine de rues plus à l'est où l'on peut voir le fleuve Saint-Laurent, le sentir, le toucher, en profiter. L'été, une navette transporte même les gens jusqu'au parc national des Îles-de-Boucherville. Cet endroit donne l'impression d'être vraiment à la campagne. Mais la réalité urbaine est toute proche, à quelques rues à peine, où le décor de fin du monde que m'inspirent de nouveau les raffineries me rappelle ma triste défaite.

CHAPITRE NEUF

L’aveu

Ma quête a été un échec. Découragé, j’accroche mon vélo au plafond du garage. Je viens de détruire le rêve de mon grand frère. Il ne me le pardonnera jamais ! Je m’effondre sur un banc, près de sa voiture. Je suis vidé. Une grosse larme salée coule jusqu’au coin de ma bouche. Impossible de l’arrêter. Aujourd’hui, je voulais juste passer une agréable journée avec un ami, pas vivre un cauchemar.

— Qu’est-ce que tu manigances dans le garage ? Ma Mustang !

Le cri de Gaël me paralyse. Ma larme sèche d'un coup sec. Je me vois déjà accroché à l'envers à une patère, puis découpé en fines lanières. Pire, il va me renier à jamais.

— Je... je vais t'expliquer, Gaël...

Je renifle si fort que mon frère ne semble pas bien saisir tous les détails de mon histoire. Mais peu à peu, son regard s'adoucit. C'est sûrement une ruse ! Gaël s'approche avec un tabouret et s'assoit près de moi. Il met son bras autour de mes épaules. Ça y est, je suis coincé ! Par une funeste prise de lutte, il va me réduire en bouillie. Toutefois, on dirait qu'avec son bras musclé, bronzé et tatoué, mon frère essaie de me consoler.

— Samuel, tu ne sais pas la meilleure ?

— Non !

— J'ai vraiment eu peur quand j'ai vu la couverture de ma voiture déplacée, les éclats de verre par terre, puis ta face d'enterrement. C'est un grand rêve, ma Mustang, sauf que, toi, tu es mon petit frère.

—…

— J'ai deux phares neufs cachés dans l'armoire. Je les ai même achetés dans un magasin spécialisé juste à côté de chez Albert Lambert automobiles. Elle est bonne, hein !

Gaël éclate de rire, manque de s'étouffer en avalant sa gomme et essuie, lui aussi, une larme. Je le fixe, incrédule. Trois sous-alimentées m'ont injurié, un énorme chien m'a renversé, un employé zélé du métro m'a repoussé, un Judas m'a laissé tomber, un garagiste m'a humilié, des idiots ont tenté de me voler et j'ai presque frôlé la mort et tout ça, pour rien ! Je suis sous le choc.

— Tu viens m'aider, Sam ?

Dans ses grands yeux verts, il y a de la tendresse. Enfin, je crois. Puis, mon frère se lève, se dirige en sifflotant vers une des armoires de métal où, effectivement, des boîtes neuves l'attendent. En moins de deux minutes et en prenant le temps de bien m'expliquer la manœuvre, le phare brisé est remplacé.

— Samuel, j'ai une faim de loup. Viens, on rentre !

— C'est samedi, tu ne soupes avec tes amis ?

— Pas ce soir. Je dois être en forme pour la course de demain. Et il faut bien que je m'occupe un peu de toi !

C'est un plaisir à entendre ! Mon désespoir a disparu même si, sur le répondeur du téléphone, un message de ma mère nous rappelle qu'un couscous aux légumes nous attend dans le réfrigérateur. Beurk ! Le message suivant, de mon père, nous annonce que sa réunion va se terminer au restaurant, avec des confrères. Oups ! J'avais oublié sa fichue réunion à propos du 22 septembre !

— Gaël, la réunion de papa, ça parle de quoi au juste ?

— Pour le 22 ?

— Oui.

— Voyons, Sam ! La journée « En ville, sans ma voiture », ça ne te dit rien ?

— Zut !

Comment ai-je pu oublier une date si importante, sacrée pour mon père, célébrée

à Montréal et dans plusieurs grandes métropoles sur la planète ? Ce jour-là, les voitures sont interdites dans un petit périmètre du centre-ville et mon père en profite pour jouer au hockey cosom dans la rue, avec des collègues ! Les gens marchent, prennent leur vélo ou le métro. Ils arrivent de la banlieue en train, partagent la même auto, parfois un taxi. Pendant ces quelques heures, dans ce quadrilatère, le taux de smog et de monoxyde dans l'air baisse de quarante pour cent. Mon père est très fier d'être impliqué dans l'organisation de cet événement. Il nous dit souvent que pour améliorer l'environnement, il y a une tonne de petits gestes possibles. J'espère qu'il en connaît d'aussi efficaces pour ma mémoire.

— Samuel, j'ai une idée.

— Quoi ?

— Je vais aller acheter une manette de jeux pour le Playstation, au magasin du coin. Tu pourrais laver la vaisselle...

— Marché conclu !

À son retour, Gaël et moi jouons et mangeons ensemble les délicieuses croustilles au barbecue qu'il a eu l'idée géniale d'acheter au dépanneur. Une soirée du tonnerre avec mon grand frère !

La dernière fois où nous avons ri comme ça, Gaël n'était encore qu'un préadolescent. Lui et son ami Thierry faisaient des « expériences scientifiques » dans la cabane de jardin. Tous les deux m'avaient strictement interdit de les déranger « sous peine de mort ». Mais un petit frère n'est pas digne de ce nom s'il n'est pas exaspérant. Assis sur la balançoire, je les épiais, et j'observais la porte de la remise à l'affût d'un détail digne d'intérêt. Tout à coup, apparut, plus gros que dans le pire de mes cauchemars et plus repoussant aussi, un énorme rat d'égout ! Comment avait-il pu atterrir dans notre cour à la pelouse toujours bien entretenue ? Dans notre quartier, les ordures ne traînaient jamais longtemps sur l'asphalte brûlant, à moins, bien sûr, d'une grève des employés syndiqués. Les trottoirs étaient bordés d'arbres, pas de déchets, et les maisons, elles, de fleurs, pas de débris. Alors, que faisait-il là, lui ? L'affreux rongeur s'arrêta à un mètre du pommier, près du cabanon. J'étais sans voix, à deux doigts d'une attaque de panique. Je distinguais dans les moindres détails le museau pointu et la longue queue nue de cet animal horriblement

laid. Après quelques secondes, qui me semblèrent interminables, le rat se remua et, sans se presser, fit le tour du pommier. Il se leva sur ses pattes arrière et regarda dans ma direction. La distance qui me séparait de la maison me paraissait infranchissable. Cet animal hideux me barrait le chemin. Mon frère, lui, se trouvait à une vingtaine de pas environ. À cette époque, Gaël représentait mon héros, mon idole. Tremblant de peur, je me suis dirigé en courant vers la remise. Le rat me suivait en se dandinant. Pendant que je frappais de toutes mes forces à la porte, l'animal s'est faufilé sous le cabanon. Je me disais que mon frère serait moins dangereux que le rat qui, à tout moment, pouvait sortir de son terrier et me bouffer tout cru ! De toute façon, j'étais incapable de bouger. Gaël mit un certain temps à ouvrir. Il me saisit par le bras et m'entraîna à l'intérieur. Une odeur nauséabonde imprégnait toute la pièce. Mon frère et Thierry fumaient des cigarettes !

— Qu'est-ce que tu fous ici ?

— Il y a un rat ! Un gros rat en dessous de nous !

Je hurlais presque. Gaël mit sa main sur ma bouche et me plaqua contre le mur. Je croyais ma dernière heure arrivée.

— Tu penses que je vais te croire ? C'est juste une ruse pour nous espionner ! Si tu dis un mot à...

— Je te jure que c'est vrai. Sur ma tête ! avais-je ajouté, d'une voix tremblotante.

— Gaël, avant de couper la tête de ce petit morveux, il faudrait vérifier. Un rat, ce n'est pas très agréable.

Mon frère, furieux, regarda son ami, puis me lâcha. Il commença tout de même à fouiller le cabanon à la recherche d'une arme. Gisaient sur le sol, à côté de lui, deux pelles, ainsi qu'un classeur de métal tordu. À gauche, il y avait une tondeuse à gazon, et à droite, trois cannes à pêche. Sur les murs, quelques clous soutenaient — et soutiennent toujours ! — une rallonge électrique, des cordes et un tuyau d'arrosage. Au plafond, au travers des planches, des skis de fond étaient entreposés. Par terre, une couverture effilochée traînait près de quatre pneus d'hiver. Parmi tous ces objets, il trouva un vieux râteau rouillé, édenté et sale. Pendant que mon frère continuait à chercher, je restais dans mon coin. Mon regard se posa sur le bâton de baseball de mon père, un de ses plus anciens trésors. Je m'en emparai sans réaliser que je tenais dans mes mains l'arme absolue, le nec plus ultra de l'artillerie lourde.

— Wow ! Sam, c'est génial ! Avec ça, le rat n'a aucune chance.

Gaël saisit le bâton, puis ouvrit la porte, gonflé à bloc.

— Thierry, va derrière le cabanon, ordonna-t-il. Fais beaucoup de bruit en cognant sur le mur. Je vais attendre ce sale rat en avant. Toi, Samuel, tu restes ici. Je ne veux même pas t'entendre respirer.

Même si j'avais un rôle secondaire dans cet affrontement, j'étais fier d'être aux côtés de mon frère. Par la minuscule vitre de la porte, je l'admirais, impatient d'assister à son moment de gloire. Gaël tenait son bâton pointé vers le ciel avec détermination, le brandissant, pareil à un chevalier sans pitié avec sa lourde épée. Il paraissait sûr de lui. Toutefois, plus Thierry donnait de violents coups sur la remise, plus le visage de mon frère se crispait. Des gouttes de sueur coulaient sur son front — sans doute à cause de la chaleur — et des longues minutes d'attente. Puis, le bâton quitta le ciel et s'inclina, pour finalement atterrir sur le gazon. Gaël, jurant entre ses dents — ça aussi c'était interdit — le laissa tomber, le bras complètement paralysé par la douleur. Thierry vint le rejoindre.

— Gaël ! Laisse faire !

— Attends ! J'ai une autre idée. Prends le bâton !

Mon frère a toujours été un entêté. Frappé par un éclair de génie, il empoigna le long manche de l'écumoire de la piscine. Gaël, muni de cette arme redoutable, s'allongea à plat ventre sur l'herbe en tentant d'apercevoir l'ennemi avant de passer à l'attaque. Tout était sombre sous le cabanon. Des roches, des morceaux de briques et de mauvaises herbes recouvraient le sol. Aucune trace du rat. Il balaya le dessous avec le bout de la perche une fois, deux fois. Toujours rien. Sauf quand...

— Ah !

L'horrible rat le dévisageait. Ses minuscules yeux noirs fixaient les yeux démesurément écarquillés de mon frère. Pétrifié, Gaël poussa un long cri d'effroi, aussi aigu que celui d'une fille. Le rongeur, lui aussi pris de panique, détala aussi vite qu'un lapin. Le hurlement de Gaël fit sortir ma mère de la maison et les voisins sur leurs balcons. Thierry, surpris, regardait autour de lui avec épouvante, tandis que je faisais de grands signes à ma mère pour la rassurer. Mon courageux frère, blanc comme un drap, regagna la remise sans dire un mot, suivi de Thierry et de moi. Pendant plusieurs minutes, nous avons résisté. Puis, ce fut l'explosion de rires ! Gaël, bon perdant, nous fit promettre sur notre honneur de garder le silence sur sa piètre performance de chasseur. Je jurai aussi de me taire à propos de leurs expériences secrètes. Cet après-midi-là, mon frère et moi ne faisions qu'un. Comme ce soir.

***

À vingt-deux heures pile, mon père arrive à la maison, tout juste après ma mère. Ils sont exténués. Gaël ne dit rien au sujet de ma petite mésaventure qui a temporairement défiguré sa voiture. Il sait que, de toute façon, je vais la leur raconter moi-même. Après une douche ultra-rapide, je m'affale sur mon lit, courbaturé, mais ô combien heureux.

CHAPITRE 10

La course

Une odeur de patates frites chatouille mes narines jusqu'à ce que je me réveille. Vite, je referme les yeux dans l'espoir de rattraper mon rêve... J'imagine des frites ondulées, bien grasses et avec une montagne de ketchup !

— Samuel, descends ! Ton oncle Daniel est ici.

L'image des frites s'estompe, mais pas cette senteur qui taquine mon estomac vide. J'ouvre un œil. On dirait que ce parfum subtil provient de ma fenêtre entrouverte. La surprenante voiture de mon oncle ! Ce génial inventeur a modifié sa Volkswagen et un arôme divin émane de son tuyau d'échappement. Son véhicule carbure à présent au diesel et à l'huile... à patates frites ! Mon oncle s'alimente dans les cantines et les stands près de chez lui, qui doivent souvent payer pour se départir de leur huile usagée. Ce carburant à l'huile de friture recyclée pollue beaucoup moins que le diesel, sauf qu'il doit la filtrer et la faire décanter pendant quelques semaines avant de l'utiliser. Enfin de l'essence moins polluante qui en plus, sent bon !

Je saute du lit, affamé. Le long miroir fixé sur la porte de ma garde-robe m'interpelle. On dirait que j'ai maigri d'au moins... cinq cents grammes ! Je retire mes vêtements, pour en être bien certain. Est-ce possible que mes flancs soient moins ronds ? Je me tourne dans tous les sens. Wow ! À travers mes premiers poils, j'aperçois des muscles, des vrais ! Hourra ! Vive la sueur et le vélo !

Au petit-déjeuner, je vais me contenter d'un muffin aux canneberges... ou peut-être de deux. Du coup, je m'en veux d'avoir succombé à ses satanées croustilles hier soir !

***

Entassés dans la voiture de mon oncle, nous roulons vers Repentigny, lieu de la rencontre sportive. Gaël s'y trouve déjà avec ses amis. La radio diffuse de vieilles chansons disco hyper stressantes. Je suis assez excité comme ça ! Mon père semble l'être tout autant, car il parle sans arrêt à Daniel. Ma mère, qui a finalement pu prendre un jour de congé, discute avec ma tante Jocelyne d'épuisement professionnel, de compressions budgétaires et de débordements dans les hôpitaux. Sujets encore plus ennuyeux que la radio. Je l'entends aussi lui murmurer que certains établissements scolaires ont décidé de bannir les distributeurs de boissons et d'en-cas pour lutter contre l'obésité. Un débat qui ne me concerne plus, puisque mes récentes résolutions me feront résister à toutes les tentations. Quoi qu'il arrive.

Dans le stationnement, nous sommes suivis par l'odeur de patates frites. Les gens nous regardent avec surprise. Je me sauve de ce parfum démoniaque en courant vers les gradins où mon frère nous a gardé des places dans la première rangée.

— Bonne chance, Gaël !

En lui disant ces mots, ma mère le serre très fort contre elle. Nous le regardons tous s'éloigner, émus. Gaël nous fait un dernier signe de la main sur le circuit,

à côté de sa Mustang. Je ne l'ai jamais vu si nerveux.

Toutes les voitures de course sont alignées sur la ligne de départ, prêtes à bondir et à pulvériser le record de vitesse de la piste. Je contemple avec fierté la bagnole de mon frère, la plus flamboyante. Le signal du départ propulse à toute allure une dizaine de taches multicolores. Où est le numéro 27 ? J'ajuste mes jumelles. Je vois alors le bolide vert de Gaël amorcer le premier virage. Son auto ultra-rapide boucle le premier tour à la deuxième place, derrière une menaçante voiture rouge.

Les deux engins sont premiers, côte à côte dans la dernière ligne droite du parcours. Toute la famille, debout, hurle sans pudeur. Tout à coup, une vision d'horreur ! La voiture de mon frère quitte la route et s'écrase contre la paroi de sécurité. Dans les gradins, le silence règne. Puis, on entend le cri de ma mère.

— Gaël !

Nous courons tous comme des fous vers le drame. Mon frère se tient immobile, la télécommande dans sa main tremblante. Avec tristesse, il regarde sa Mustang, sa voiture téléguidée adorée, qui n'est plus qu'un amoncellement de ferrailles. Son véhicule chéri est bousillé, écrabouillé, pulvérisé ! Sa première grande défaite. Mon père réconforte Gaël, lui parle d'autres projets à venir. Ma mère caresse ses cheveux. En sortant de la piste, mon frère cherche ses amis qui sont déjà tous partis, sauf Thierry. Je suis vraiment désolé pour lui.

— Allô, Samuel !

Marie-Jade ! Accompagnée de sa sœur Amélie ! Devant moi pour de vrai ! Aujourd'hui, ma bien-aimée a de minuscules papillons bleus dans les cheveux. Ses yeux, encore plus bleus qu'eux, me rendent fou. Sa sœur Amélie lui ressemble, mais elle est plus grande, avec de petites taches de rousseur éparpillées sur son nez et des cheveux châtains qui frôlent ses reins. Mais elles ont toutes les deux dans les yeux un je-ne-sais-quoi qui rend heureux, une sorte de flamme charmante et ensorcelante ! Gaël, cet incorrigible charmeur, sort le premier de sa torpeur.

— Sam, tu ne nous présentes pas ?

— Heu ! Désolé... Marie-Jade et Amélie, voici mes parents et mon frère Gaël.

— Tu as fait une très belle course, Gaël.

La voix d'Amélie mêle à la fois douceur et fermeté. Consciente de son audace, elle attache son regard à celui de mon frère. Sans plus attendre, elle lui parle. Gaël, d'habitude expert en repartie, reste muet. Un sourire indéchiffrable reste accroché à ses lèvres. Pendant ce court instant, je surprends le rapide coup d'œil de Marie-Jade dans ma direction. Elle rougit. J'essaie de trouver quelque chose d'intelligent à dire, n'importe quoi, mais mon cerveau reste au point mort. Ma mère vient à notre rescousse en nous invitant tous.

— De la pizza maison, ça vous dirait ?

Malgré mes sincères résolutions, je salive un peu, beaucoup, à la folie ! Comment résister aux rondelles de saucisses italiennes, cachées sous une épaisse couche de fromage, aux éclats de bacon et à la montagne de pepperoni ? J'adore ma mère !

— Est-ce que tout le monde aime les pizzas végétariennes, extra tofu ?

TABLE DES MATIÈRES

Dominique Tremblay

Dominique Tremblay est née en 1961 à Montréal. Après des études universitaires en création littéraire, elle réalise son grand rêve, celui d'écrire. Son premier roman jeunesse, *À la folie !* est publié en 2004. *L'huile à patates frites*, son deuxième roman, a pour thèmes principaux l'environnement et l'entraide fraternelle et, tout comme le premier, l'action se déroule en grande partie dans l'est de Montréal.

Guadalupe Trejo

Artiste multidisciplinaire, Guadalupe a toujours été fascinée par l'imaginaire des enfants. Montréalaise d'origine mexicaine, elle travaille depuis plusieurs années dans le milieu de la communication graphique à Montréal et à Mexico. Elle enseigne aussi la photographie aux adolescents.

Fière de faire partie de la tribu du Phœnix, et de conserver le contact avec les jeunes, elle présente des illustrations à chaque fois renouvelées.

Achevé d'imprimer en août 2009
sur les presses de l'imprimerie Gauvin,
Gatineau, Québec